Vivre imparfait

Du même auteur

Aux Éditions de Mortagne

- Les voies du possible
- L'homme inchangé
- Le voyage intérieur
- L'homme qui commence
- La grande rencontre
- Pensées pour les jours ordinaires
- Une voie qui coule comme l'eau
- Messages pour le vrai monde
- Paroles pour le cœur
- Rentrer chez soi
- Les chemins de l'amour
- Le grand congé
- Le karma de nos vies
- Un torrent de silence

Aux Productions Minos

- Réincarnation et karma
- Une religion sans murs

Placide Gaboury

Vivre imparfait

Données de catalogage avant publication (Canada)

Gaboury, Placide, 1928-

Vivre imparfait

ISBN 2-89074-465-5

1. Perfectionnisme. 2. Acceptation de soi. 3. Estime de soi. 4. Culpabilité. I. Titre. II. Collection: Gaboury, Placide, 1928-

BF698.35.P47G32 1993 155.2' 32 C93-096786-0

Éditions
Les Éditions de Mortagne
250, boul. Industriel, bureau 100
Boucherville, (Québec)
J4B 2X4

Diffusion
Tél.: (514) 641-2387
Téléc.: (514) 655-6092

Dépôt légal
Bibliothèque nationale du Québec
Bibliothèque nationale du Canada
Bibliothèque Nationale-Paris
2e trimestre 1993

ISBN: 2-89074-465-5

1 2 3 4 5 - 93 - 97 96 95 94 93

Imprimé au Canada

à ROLAND CHÉNIER

Table des matières

Préface

Un autre minilivre de Placide Gaboury, qui porte sur une des attitudes les plus répandues en Occident: le besoin d'être parfait, sans défauts, sans faiblesses et sans failles, c'est-à-dire l'incapacité de s'accepter tel que l'on est.

Le présent ouvrage pourrait aussi s'intituler «Comment se libérer du **Complexe olympique**?» C'est une question qui en appelle d'autres: Pourquoi tant de culpabilité? Comment la pensée devient-elle ainsi habitude et inconscience? Pourquoi entretenir des préjugés? Quelle est la différence entre culpabilité et responsabilité?

Ce livre est riche d'observations concrètes et éclairantes qui nous aident à nous reconnaître au-delà de nos écrans persistants. Il offre un programme de travail sur soi pratique et efficace.

Léonard

Vouloir atteindre la perfection est une erreur que ne doit pas commettre celui qui est en chemin.

Karlfried Graf Dürckheim,
dans *Terre du Ciel*, n° 9

Nous devrions trouver l'existence parfaite par l'existence imparfaite. Nous devrions trouver la perfection dans l'imperfection. Pour nous, la perfection complète n'est pas différente de l'imperfection.

Shunryu Suzuki,
Zen Mind, Beginner's Mind

Chapitre 1

Le Complexe olympique

Il faut avoir vécu longtemps avant d'accepter de vivre imparfait.

Mais en réalité, vivre, pour la plupart d'entre nous, ce n'est pas autre chose qu'être imparfait. C'est croître, avancer, assumer les erreurs et les épreuves, c'est savoir en tirer des leçons et créer à mesure ses réponses, c'est couler avec le mouvement qui vient de plus loin que «nous» et qui nous emporte dans une aventure inconnue. Vivre, c'est n' être jamais arrivé, n'avoir jamais la réponse finale ni même la bonne. Apprendre, toujours apprendre. Être humble, près de son fondement, de son humus, c'est-à-dire de la terre, comme l'indique le mot humilité.

Nous pouvons nous offusquer de n'être jamais arrivé, jamais éveillé, jamais réalisé. Durant la première partie de la vie, on veut toujours arriver. Mais quand on commence à s'éveiller, on accepte de ne plus vouloir obtenir quoi que ce soit. En effet, pendant que la conscience est endormie, on regrette que rien ne soit achevé ou final. Comme le dirait La Palice, tout n'est jamais accompli sur terre, rien n'y dure qu'un instant à la fois, goutte à goutte, et tout cela à notre grand regret. Non, bien sûr, «Rien n'est jamais acquis à l'homme...», comme le chante le poète; «il n'est pas ici-bas de demeure permanente», clame depuis longtemps l'Évangile; et bien avant lui, le bouddhisme affirmait comme une de ses vérités fondamentales que: «rien n'est permanent sur cette terre». Mais ces paroles de sagesse ne nous touchent pas tant et aussi longtemps que la conscience sommeille.

Certes, «vivre imparfait», comme on dirait «vivre heureux» ou «vivre vieux», n'est pas une attitude qui apparaît sans que la conscience n'ait été secouée. Et ce n'est pas un programme pour les faibles ou les rêveurs. Il faut avoir vécu sa vie de très près et sans en rien laisser avant de pouvoir consentir à vivre imparfait. En effet, cette conscience ne s'éveille qu'au lendemain d'une illusion. On ne naît pas en sachant l'importance de vivre dans son imperfection, c'est-à-dire tel que l'on est. On ne sait pas d'entrée de jeu vivre comme le recommandait, par exemple, Lao Tseu il y a déjà vingt-cinq siècles: «Le Saint Homme est toujours content, content de ce qu'il a, content de ce qu'il est.» Cet éveil se produit plus loin, beaucoup plus loin.

Au début, dans l'état de conscience endormie, on s'identifie à l'idée de la perfection, on se voit déjà choisi entre tous, élu, exceptionnel, unique, passé maître. On escamote dans son esprit l'étape d'apprenti: on n'a rien à apprendre des autres. Pour un peu, on croirait tout savoir. On vit d'idéal, d'irréel, de rêve. On se perd dans les romans, les fuites, les fantasmes. On commence par être volontiers illusionné (mais on l'ignore), identifié à toutes sortes de choses. On vit dans ses projections, on vit projeté vers l'extérieur. On n'est pas encore monté sur les planches, qu'on s'imagine déjà sur scène pour le dernier lever du rideau, entouré de disciples ou d'admirateurs éblouis.

Curieusement, on n'envisage guère de toujours cheminer, d'avancer pas à pas, de se tromper, de se corriger, de manquer son coup; on se voit plutôt dans un état immédiat et permanent, déjà accompli, déjà confirmé. En effet, pour s'accepter comme cheminant, il faut que l'on ait déjà commencé à s'éveiller.

Il est donc habituel, dans l'état de conscience endormie, de ne pas être spontanément attiré par la simplicité, par l'ordinaire, par ce qu'il y a d'imparfait en soi et dans la vie. On croit justement qu'il existe de l'extraordinaire à côté de l'ordinaire et que c'est le premier que l'on doit chercher et exiger. Sous la pression de nos croyances culturelles, nous voulons des héros, des modèles, des gagnants. Nous trouverons même indigne de ne pas viser au plus haut, indigne d'une personne qui se respecte, que dis-je, indigne de l'être humain en ce qui le caractérise et le distingue. Il faut atteindre rien de moins que la perfection, dit le moralisme religieux à tous ses clients piégés par la peur.

On aura confondu l'absence de défaut et de faiblesse avec le fait d'être pleinement soi-même, pleinement habité dans son ombre comme dans sa lumière, pleinement présent à ce que l'on est depuis sa boue jusqu'à sa fleur. Il y en a peu qui veulent descendre de leur fleur à leur boue, la plupart la refusent, la considérant simplement comme indigne d'eux. On ne veut pas demeurer ou devenir progressivement incarné et mortel, humain et semblable aux autres. On déteste même les petites gens et on croit que l'humanité est divisée en deux camps: les grands (riches ou intellectuels) et les petits, ou encore les bons et les mauvais.

On exige d'être supérieur alors qu'il s'agirait d'être simplement accordé; on se voudrait arrivé, alors qu'il s'agit simplement de cheminer. Être accordé à ses capacités, à son rôle, à son talent, à sa forme de créativité, et habiter celle-ci jusqu'à ses tréfonds sans rien mépriser, sans rien laisser tomber, en se faisant un ami de tout ce qui est menace au fond de nous.

LES CONCOURS ÉTERNELS

Si l'on n'accepte pas ce que l'on est tout simplement, on se retrouvera dans un concours éternel, obsédé par une démonstration d'excellence ou une distribution de prix. C'est ce que j'appelle le «Complexe olympique», c'est-à-dire l'obligation d'être le meilleur, d'être irréprochable, d'être la plus belle, la plus parfaite, l'incontournable. On est gagnant ou raté, il n'est pas de moyen terme. On se voit en perpétuel jugement, apprécié à partir d'une performance extérieure – l'hyperformance – selon des critères superficiels et partisans. Tout cela ne fait appel qu'à ce qui paraît en nous, et n'atteint jamais la source, la profondeur, la totalité de ce que l'on est.

C'est ce Complexe olympique qui fait que l'on entend ces questions tant de fois posées par de fervents disciples: «Un tel est-il un maître réalisé?», «Cet autre est-il aussi avancé que le mien?», «Les autres religions ont-elles autant de saints canonisés que la nôtre?», «Et si elles n'en ont pas, n'est-ce pas le signe que la nôtre est supérieure?» Ces concours de canonisation qui évoquent les courses hippiques et les expositions canines n'ont rien à voir avec la voie spirituelle, car ils n'ont rien à voir avec l'être véritable, le vrai moi. Le Complexe olympique fait regarder la borne kilométrique mais uniquement pour savoir si on est près du but alors que l'important, c'est la flèche de cette borne et non les kilomètres à parcourir. L'important, c'est d'être engagé dans un cheminement sans s'inquiéter de sa position. C'est d'avancer sans se regarder dans le miroir, sans se comparer.

Mais on ne veut pas se voir à l'intérieur et observer ce qui s'y trouve. On refuse de s'accepter honnêtement, tel que l'on est, fidèle à soi-même, sans vouloir imiter quiconque, sans rêver d'être quelqu'un d'autre, sans se modeler sur quelqu'un qui a réussi sa vie (justement parce qu'il aura sans doute suivi sa voie et non celle d'un autre). Il y a un rôle que je suis capable de jouer et que je suis seul appelé à remplir, mais à condition que j'accepte de m'y donner entièrement, sans regretter qu'il ne soit aussi important, visible ou convoité qu'un autre. Ces considérations nous sortent de notre voie, ce sont les bavardages du mental qui ne veut pas rester dans le concret et dans la réalité de l'instant.

On se rend si malheureux à vivre hors de ses gonds! On se voit déjà riche et on dépense en conséquence, pour se réveiller un jour au milieu de dettes insolvables ou en pleine faillite. Les lois sont les mêmes partout: les récessions économiques ont la même odeur que les dépressions psychologiques qui suivent les exaltations et les prétentions. Il y a en fait une grande sagesse dans notre composition physique et mentale: notre constitution limitée exige que nous nous y conformions, sans quoi c'est la débandade et la dissolution.

L'excès, ce que les Grecs appelaient Hubris – qu'ils considéraient curieusement comme la faille principale de l'être humain – cet excès vient de ne pas savoir s'ajuster aux limites de l'être et de la vie. Certes, il y a en nous de l'illimité, de l'inconnaissable, de l'infini. C'est même le noyau, l'essence de notre être. Mais ce noyau d'Absolu s'inscrit dans une forme relative et limitée, qu'elle ne fait éclater que lorsqu'elle est complètement assumée.

Cette Présence d'infini nous mène vers l'inconnu et l'impensable, au-delà du faux moi qui n'est qu'une pensée, alors que le Vrai Moi est Conscience. Or, cette Présence en nous ne se manifeste pas sans exiger une vigilance constante, une observation exhaustive des manipulations et des manigances du faux moi. Il faut savoir s'effacer et se rendre disponible à ce qui nous dépasse. Et non seulement se rendre disponible, mais s'identifier à cette Conscience qui est vraiment ce que nous sommes lorsque se désagrège le «feuilleté» d'habitudes. C'est quand on se découvre dans sa racine et dans sa source qu'on voit que tout ce à quoi on s'identifiait – corps, pensée, drame – n'est qu'une construction entretenue par la mémoire.

VERS LA MÉDIOCRITÉ?

Pour cheminer dans la voie spirituelle, doit-on alors abandonner toute ambition, toute aspiration, tout appel vers le large? Non, certes! Je n'écris pas ce livre parce que j'aurais perdu tout idéal ou que j'encouragerais désormais la médiocrité, la paresse ou le conformisme. Bien au contraire. Je laisse la vie s'emparer de moi de plus en plus et m'entraîner dans son mouvement infini, mais en suivant son rythme plutôt qu'en lui imposant le mien. L'important, en effet, est de vivre en harmonie avec tout ce que l'on est et de ne jamais s'emballer pour un idéal irréel ou se décourager de sa finitude humaine. Or, cela demande tout... sauf de la médiocrité ou du laisser-aller. Le lâcher-prise est le contraire du laisser-aller: il est vigilance devenue abandon spontané.

Sous l'influence des religions arrivistes et des mystiques de progrès, nous nous sommes identifiés à un besoin d'être des performants à tout prix, d'être des gagnants, des conquérants et des héros aux bottes de sept lieues. Mais c'est nous qui avons inventé et entretenu ces figures imaginaires. Nous nous sommes pris pour des sauveurs. Or, il ne peut jamais y avoir de sauveurs qui soient séparés de gens à sauver. Le sauveur qui ne reconnaît pas avoir déjà été perdu ne peut aider quiconque à se libérer. Le véritable sauveur est en réalité la personne à sauver en ce qu'elle a accepté d'être perdue et ainsi libérée.

S'ACCORDER À LA VIE

Nous pourrions commencer à voir clair si nous étions simplement plus sensibles à notre mélange de lumière et d'obscurité, plus présents à nos illusions et à nos préjugés, c'est-à-dire si nous cessions de croire à des religions pour peuples choisis, à des races pures, à des êtres supérieurs ou extraordinaires, à un sexe fort. Que chacun commence à visiter ce que Roger Savoie appelle sa «fosse septique» et s'habitue à l'odeur qui s'en dégage, sans toujours se couvrir de parfums qui font croire à un corps incorruptible. La vie spirituelle n'est pas un concours. Elle est libération de tout besoin de concourir, d'acquérir, d'obtenir ou de gagner.

Depuis que j'ai cessé d'imposer ma volonté à la Vie, l'harmonie, l'accord est de plus en plus présent et constant en moi, entre mon corps et le monde. J'ai livré ma volonté à l'univers et depuis je n'ai pas à chercher, à tâcher d'obtenir ou de posséder un état final, une connaissance définitive, un moment suprême. Je danse sur un fil comme ces funambules du *Cirque du Soleil*. Je n'ai plus à vouloir avec contention ou à exiger qu'il se produise quelque chose.

MA VIE: UN CONCOURS MORAL

J'ai passé ma vie dans un concours moral où il s'agissait de toujours faire mieux, d'être meilleur et de dépasser autant que possible mes rivaux. C'était une croisade incessante. J'étais pour ainsi dire passé maître à me vouloir, ensuite, à me croire supérieur. J'ai vécu la religion comme un concours moral, la vie intellectuelle comme un concours de raison et la vie émotive, comme une course aux conquêtes. Ce sont en revanche les failles et les échecs qui m'ont ouvert les yeux.

Désormais, je ne vois plus le monde séparé en gens ordinaires et extraordinaires. Tous les humains sont à mes yeux plus semblables que différents, unis davantage par la communauté de ténèbre et de lumière qu'appelés à se dominer mutuellement. Ce n'est pas que je sois devenu plus fort qu'autrui; c'est que mes limites m'ont fait rejoindre ce qui en moi était le plus humain, le plus universel: cette source commune qui est en nous Intelligence et Force, qui nous pousse à tout vivre, à tout absorber, à tout dépasser.

Ce n'est jamais notre besoin de réussir qui nous conduit au succès; c'est l'Esprit qui a déjà suscité ce besoin et qui nous pousse infiniment plus loin... en nous faisant tout d'abord échouer.

LES ÉTINCELLES D'ÉVEIL

Parmi ces nombreux événements sans grand éclat qui ont ainsi jonché ma vie et qui ont petit à petit contribué à m'ouvrir les yeux du cœur, je ne raconterai que le dernier.

Je souffrais depuis de nombreuses années d'attaques d'angine qui s'aggravaient malgré les médicaments traditionnels et les traitements d'acuponcture. Au plus fort d'une de ces attaques, je me suis senti si mal que j'appelai moi-même le service d'urgence. Arrivé en ambulance à l'hôpital, j'y reçus les meilleurs soins qu'on puisse espérer. Les spécialistes comme des abeilles s'affairaient autour de moi dans un bruissement d'ailes, si bien qu'après quelques heures j'étais conduit aux soins intensifs dans l'attente d'une chambre. Après quelques jours, la situation ne s'étant pas améliorée, le chirurgien en chef décida qu'il fallait opérer au plus vite. Il m'apprit que l'opération allait donc avoir lieu le samedi suivant à treize heures quinze et qu'il pratiquerait six pontages coronariens. L'opération devait durer environ six heures. C'était par urgence que l'on opérait le samedi, ce qui aurait dû normalement m'inquiéter. Mais j'acquiesçai à cette décision avec un complet abandon. J'étais calme comme je l'ai été tout au long de mes vingt-et-un jours d'hospitalisation, tout à fait calme, joyeux et paisible.

Avant que l'on me conduise en salle d'opération, je pensai à tous ceux qui m'aimaient, mais sans éprouver ni regret ou peine. Je les voyais tous dans une sorte de communion et n'éprouvais aucun désir. Survivre ou mourir: peu m'importait. Je savais que même si les médecins pouvaient être confiants de réussir, on ne sait jamais, et je voyais comme très possible la fin de cette vie. Je considérais ma vie avec pleine reconnaissance, sans besoin d'analyse et sans regret. Je trouvais que la vie avait été un grand cadeau. Tout m'apparaissait d'un seul coup, sans divisions, sans coupures. J'étais dans un état d'appartenance à l'univers et à son mouvement. *Je n'étais coupé de rien, et en même temps je me voyais sans aucune importance.*

Ce n'est pas que tout m'ait été égal comme lorsqu'on est désabusé. Non. Au contraire, j'étais d'un calme enthousiasme, d'un élan vers la Vie mais au-delà de tout désir personnel, comme happé par une force totalement neutre qui suivait des lois et un rythme inconnus, qui ne me concernaient en aucune façon et devant qui je n'étais rien. C'était la Vie universelle qui s'emparait de moi. C'est ainsi que j'entrai dans la salle d'opération et que je me mis à la disposition des chirurgiens, c'est-à-dire de la Grande Conscience. J'ai vécu cet instant comme un moment de grâce, un moment sacré.

PAS UN CONCOURS

Je sais maintenant que la voie spirituelle n'est pas la réalisation d'un programme, d'un plan, d'un désir personnel. Il n'est rien à obtenir ou à vouloir pour soi. C'est comme une source qui jaillit et nous emporte. Tout ce que l'on a à faire c'est *s'y laisser couler en suivant ce mouvement et en ne faisant rien pour l'éliminer ou le bloquer.*

Ce lâcher-prise est difficile au début; il ne devient naturel qu'avec une vigilance soutenue. C'est la grâce qui prend sa place une fois qu'elle nous a amenés à tout lui céder.

Déjà, au point de départ, il y a une volonté à l'œuvre au fond de nous. C'est elle qu'il faut découvrir et laisser s'exprimer, laisser se *réaliser.* C'est à elle qu'il faut s'unir. C'est avec cette source qu'il faut devenir un. Si nous sommes quelque chose, c'est uniquement par cette Force infinie qui agit quels que soient nos efforts, nos attaches, nos identifications.

«On ne va pas vers la conscience avec un espoir de gain, affirme Stephen Jourdain. [...] L'éveil ne peut en aucune façon constituer une fin [...] On ne va pas vers l'éveil **pour [...]** Si l'on peut invoquer la moindre raison pour aller vers l'éveil, on lui tourne le dos. [...] Il est en tout cas exclu que je puisse m'en attribuer le mérite.» (Stephen Jourdain, – Gilles Farcet, *L'Irrévérence de l'éveil*)

Il n'est pas de recette et pas de moment prévu pour l'éveil. Pas de condition *sine qua non.* C'est beaucoup plus une invasion, une explosion qu'une conquête. **«Je viendrai comme un voleur, dit le Grand Éveillé de l'Évangile, au moment où vous ne pensez pas»,** ou, selon notre vocabulaire, «quand nous aurons atteint la source de la pensée, le vrai Je qui voit sans penser.

Il ne s'agit pas d'être végétarien ou de ne pas l'être, de jeûner ou pas, d'avoir un maître visible ou pas, de méditer longuement chaque jour, d'être chaste ou vierge ou pauvre, d'appartenir à un groupe ou de vivre seul. Il s'agit uniquement de vivre, de se vivre à fond, d'être complètement ouvert à la vie. Vivre une vie spirituelle, n'est rien d'autre que la vie dans sa plénitude, la vie sur laquelle on a cessé de greffer tout l'inutile, le «pensé», l'illusoire, le «rêvé» ou le «personnel». Vivre une vie spirituelle, c'est laisser la branche fleurir, couler le ruisseau et permettre à la croissance d'être gracieuse et spontanée.

C'est la vie toute nue. Elle n'a pas à être elle-même obtenue, possédée, assurée ou défendue. Elle n'a besoin de rien, la vie toute nue. Mais comme il est difficile de ne pas chercher à l'habiller!

RIEN À ACQUÉRIR

Je trouve futile de vouloir se réaliser comme s'il s'agissait d'une chose à acquérir. Je pense que c'est là le dernier retranchement de la volonté personnelle, sa carte la plus habile et peut-être sa dernière, son *joker* si vous voulez (comme si elle savait vraiment rire d'elle-même!), sa façon de toujours avoir le dernier mot, de toujours s'approprier quelque chose, et tout cela, avec les meilleures intentions, avec un air de sainteté, un élan mystique, une élévation sublime. *Mais ce qu'on refuse de reconnaître, c'est qu'on cherche avant tout à devenir une* star. On ne veut surtout pas se perdre dans ce qui nous dépasse, ce qui est inconnu et qui démasque notre illusion. On ne veut pas que les contours de notre personnalité soient brouillés au point qu'on ne nous reconnaisse plus sur l'estrade finale. On veut toujours rester là.

Peut-être que le secret c'était, et ce sera toujours, de n'avoir pas de plan, de vouloir personnel, de projet à imposer, de rêve à réaliser. Peut-être s'agit-il de laisser la vie faire son chemin et de savoir cheminer avec elle. Peut-être s'agit-il de cela tout bonnement: cheminer, ne pas s'arrêter et ne pas vouloir savoir si on approche du but, jusqu'à quel point on a progressé ou si on va pouvoir y arriver pour la date prévue. *Keep going!*

Juste cheminer, faire un pas après l'autre, vivre à fond ce que l'on est au moment où on le vit, sans déborder de ses limites, sans se prendre pour un autre, sans respirer plus haut que le nez, sans mettre la barre trop haute ou vivre au-dessus de ses moyens. Mais **vivre humblement l'être que la vie nous donne à vivre.** Se maintenir dans la reconnaissance que tout cela se fasse et que l'on en soit l'instrument sans l'avoir mérité, sans pouvoir le mériter, sans qu'il soit en somme question de nous, de moi, de je.

Chapitre 2

Le besoin d'être pur

«Si seulement c'était aussi simple! Si seulement il y avait quelque part des gens mauvais, commettant le mal insidieusement, qu'il suffisait seulement de les isoler du reste et de les détruire. Mais la ligne qui sépare bien et mal traverse le cœur même de chaque humain. Et qui consentirait à détruire une partie de son propre cœur?» (Alexandre Solzhenitsyn, in *Meeting the Shadow*)

LA MENTALITÉ DE CROISADE

«Nous avons tellement besoin d'être héroïque, dit le philosophe Sam Keen, d'être du côté de Dieu, d'éliminer le mal, de nettoyer le monde, de vaincre la mort, que nous répandons la destruction et la désolation sur tout ce qui se tient sur le chemin de notre chevauchée héroïque.» (in *Meeting the Shadow*) Nous ressemblons à ce chevalier dans *La Guerre* du Douanier Rousseau ou encore à ces quatre chevaliers piaffant de l'Apocalypse de Dürer, ou peut-être même à John Wayne qui, sur son cheval blanc, rentre victorieux après avoir nettoyé la contrée de tous ses sales criminels.

Nous persistons à croire qu'on ne devient bon qu'en éliminant le mauvais et que si Dieu est un Dieu bon, il ne peut être qu'intransigeant envers toute forme de mal. Nous partons en croisade contre les prostituées, les drogués, les proxénètes, les violeurs et les voleurs. Nous nous nourrissons d'ennemis, que nous engraissons de nos intolérances et que nous recyclons quand les malheurs de la guerre précédente ont été oubliés.

Nous voulons à tout prix faire partie d'une escouade de la moralité et prouver au monde combien nous sommes purs, forts et incorruptibles. «Nous vaincrons.» «Dieu le veut.» «Gott mit uns.» «Notre culture nous pousse à croire que nous **pouvons** avoir à la fois le beurre et l'argent du beurre – le meilleur des deux mondes – ou que nous pouvons éliminer le mauvais, que nous pouvons avoir le dessus sans le dessous, le blanc sans le noir, le plaisir sans la peine. Nous nous convainquons que nous **pouvons** avoir la santé sans la maladie ou même la naissance sans la mort. Ce n'est bien sûr qu'une question de fonds, de recherche, de main-d'œuvre et de temps pour le réaliser!» (Alfred Ziegler, in *Meeting the Shadow*)

Ainsi croyons-nous que nous pourrons un jour faire un monde à «notre» image, sans faiblesse, sans mal, sans erreur. Mais plus nous avançons dans cette chevauchée, plus nous voyons apparaître et foisonner les foyers de crime, d'intolérance, de violence, de méchanceté et de maladie.

SUPPRIMER LES DROGUES?

Prenons par exemple ces reportages où la police triomphante pose avec fierté devant de nombreux kilos de drogues: elle ne voit pas qu'aucune victoire a été remportée puisque les quantités saisies augmentent de fois en fois! La volonté d'enrayer à jamais le trafic des drogues a reçu sa leçon finale avec la Loi de Prohibition qui, dans les années 20, rendait tout trafic d'alcool illégal en sol américain. La promulgation de cette loi n'a nullement servi à éliminer l'alcool. En l'abolissant, l'Amérique a reconnu qu'en ce domaine chaque individu doit établir sa propre loi. Depuis, tous les Américains qui veulent boire à l'excès ou devenir alcooliques doivent en assumer la responsabilité; la loi ne peut les en empêcher. *Cette leçon radicale n'a cependant jamais été retenue, elle n'a jamais porté fruit.*

Ayant commis la même erreur avec les drogues autres que l'alcool, nous nous sommes du coup privé de comprendre et surtout de résoudre ce qui est devenu un problème majeur dans notre société. **Il fallait dès le début rendre ces drogues légales et ne pas s'engager dans l'illusion de les enrayer en luttant contre elles.** En somme, on ne remplace **jamais** la responsabilité personnelle. Vouloir vaincre en luttant directement contre une tendance aussi ancrée ne peut produire que l'inverse du but recherché. «Ne résiste pas au mal», disait l'Éveillé de l'Évangile.

En effet, devant un ennemi perçu comme invincible, nous avons pris l'habitude de redoubler de ferveur, de devenir des troupes indomptables de SS prêtes à détruire tout ce qui menace notre idéologie. En voulant que la vie soit un rêve soumis à nos caprices, nous créons un cauchemar irrépressible. Nous n'acceptons pas la vie telle qu'elle est, parce que nous ne voulons pas nous voir tels que nous sommes. Mais tout commence et finit là. Suis-je capable de dire oui à ce que je suis? Le oui que je prononcerai pourra m'ouvrir toutes les possibilités alors que le non aura déjà fermé toutes les portes.

TRIOMPHER DU MAL

«La bonté, disait Andrew Bard Schmookler, ne régnera pas sur le monde lorsqu'elle triomphera du mal, mais justement lorsque notre amour de la bonté cessera de s'exprimer en termes de triomphe sur le mal. La paix – si elle vient – ne sera pas faite par ceux qui sont devenus des modèles de sainteté, mais par ceux qui ont accepté leur condition pécheresse. Car, déclarait George Orwell (en critiquant Gandhi qui était violent pour lui-même), sans doute que l'alcool, le tabac et le sexe sont des choses que le saint doit éviter, mais la sainteté est aussi une chose que les humains doivent éviter! En effet, reprend Schmookler, la sainteté exige une identification excessive à la "bonne" partie en nous, comme irréconciliablement opposée à la mauvaise. C'est vivre dans un *western* où tout est bien tranché.» (in *Meeting the Shadow*)

«Le mal n'est pas à détruire mais à guérir, à intégrer [comme on le verra plus loin chez les anciens Amérindiens], plutôt qu'à éliminer comme le veulent les gens de guerre. Nous ne trouvons la paix qu'en acceptant que notre être soit imparfait et que nous sommes des créatures pleines de faiblesse. Le courage moral consiste à ne pas vouloir être pire **ou meilleur** que nous ne sommes réellement.» (Jerry Fjerkenstad, in *Meeting the Shadow*) Et chacun de nous peut avoir ce courage d'être ce qu'il est. Il suffit de regarder ce qui monte en soi et de laisser exister cet ennemi qui surgit. Il suffit d'**observer sans blâme**.

ASSUMER NOTRE RÉALITÉ

«Ce n'est que dans un moment de choc que nous avons été poussés à nous voir tels que nous sommes, plutôt que de nous voir tels que nous avons toujours espéré être ou tels que nous aimerions croire qu'on nous voit; ce n'est qu'à ce moment que nous pouvons faire les premiers pas vers l'intégration de soi, poursuit

Jerry Fjerkenstad. Car, on a beau vouloir le nier, nous sommes imparfaits. Et peut-être que c'est dans ce que l'on n'accepte pas en nous – notre agressivité et notre honte, notre culpabilité et notre peine – que nous découvrirons ce qui est vraiment humain.» Pour le dire sans détours et même dans toute sa crudité, nous avons besoin de sentir ce qui est pourri en nous, de découvrir que notre merde pue. Reconnaître et accepter sa puanteur, c'est être guéri de l'ambition de vouloir toujours être meilleur ou parfait.

La volonté d'être parfait, meilleur, plus pur que quiconque, plus vertueux, sans reproche et, croyons-nous, plus près de Dieu par notre pureté, relève d'une vision infantile, d'une religion qui maintient la séparation absolue entre Dieu et les hommes, entre bons et méchants, forts et faibles, dominants et dominés. C'est une vision de croisade et d'inquisition. Un monde inguérissable. C'est une vision qui maintient le monde dans un concours de forces antagonistes, dans une guerre constante entre ceux qui sont du côté de Dieu et les autres. Ceux qui sont de Dieu se croient par le fait même le droit d'éliminer ceux du camp opposé, comme l'ont fait les Juifs de l'Ancien Testament, les chrétiens depuis Augustin jusqu'au XVIIIe siècle et les musulmans du VIIe siècle à nos jours.

Le besoin d'être ainsi pur et parfait est une des pires illusions. Ce n'est pas vraiment pour se rapprocher du Transcendant ou pour lui ressembler davantage qu'on cherche la perfection morale. C'est pour vaincre ceux qu'on méprise en se servant de la religion et des bons sentiments. On le sait bien, l'*ego* se développe en réprimant le mal et le mauvais, et en favorisant le bon et le bien. L'*ego* veut toujours bien paraître; il veut toujours être du côté des gagnants, du côté des dirigeants. Il ne peut donc jamais s'avouer vaincu, faible, blessé, impuissant. S'il veut n'être que bon et pur, ce sont alors les autres qui deviennent pour lui les porteurs du mal et de la laideur. Tout ce que je refuse de reconnaître et qui me répugne, je commence déjà à le voir chez les autres et là exclusivement.

LE RÔLE DE LA GRÂCE

«Mais la grâce, dit encore Jerry Fjerkenstad, ne descend que sur ce qui est imparfait, sur celui qui consent à faire sienne sa laideur et son infériorité.» Nous n'avons pas à être parfait ou «bon», mais vrai, conforme à ce que nous sommes, sans tricherie, sans prétention, sans ambition.

Comme le dit si bien le sage Graf Dürckheim: «Être en accord avec l'Être ne signifie pas être dans un état de perfection. Vouloir atteindre la perfection est une erreur que ne doit pas commettre celui qui est en chemin. Notre vérité est souvent assez misérable, comparée à notre idéal. Être relié à la Transcendance ne signifie pas que nous comprenons parfaitement ce que doit être un homme, mais avoir la force de nous voir dans notre vérité du moment. La Transcendance ne se manifeste pas quand nous dépassons le niveau humain, mais précisément là où nous reconnaissons ce niveau humain, lorsque nous reconnaissons notre faiblesse.» (in *Terre du Ciel*, nº 9)

La grâce est ce qui permet d'aimer l'imparfait, cet imparfait que nous portons et qui caractérise tous les humains. La grâce suscite toujours cette reconnaissance, et si l'on peut s'illusionner longtemps en se croyant supérieur aux autres et chargé de les redresser, la grâce, elle (ce toucher si délicat de la compassion), nous ouvre les yeux en nous blessant, en rappelant une faille, en permettant une humiliation, une perte, un affront, un événement intolérable. **La grâce pénètre par les ouvertures que perce l'humilité.**

Le besoin d'être parfait, c'est vraiment le besoin d'avoir raison. C'est l'orgueil d'être au-dessus de toute leçon, de tout soupçon, de tout apprentissage. En revanche, la grâce, c'est la vie transcendante qui relie et raccorde tout, qui fait voir la belle dans la bête, la guérison dans la déchirure, la force de renaître dans une défaillance.

La grâce (c'est-à-dire la force intérieure qui fait voir ce qui est au lieu de ce qu'on voudrait y voir), cette grâce ouvre le cœur à la compassion. On ne reconnaît les autres qu'en s'avouant tel que l'on est: imparfait. On n'aime qu'à partir de ce moment, car toute illusion de supériorité nous coupe de tout, de notre vie, et surtout de celle des autres.

«L'ouverture spirituelle, ce n'est pas un retrait vers quelque royaume inventé ou quelque grotte sécuritaire. Ce n'est pas l'acte de se retirer, mais de toucher toutes les expériences de la vie avec sagesse et avec un cœur de tendresse, sans se séparer de rien.» (Jack Kornfield, in *Meeting the Shadow*)

Chapitre 3

Les complexes d'Augustin

«Saint» Augustin était un homme truffé de complexes, qu'il n'a eu ni l'audace ni l'humilité de reconnaître. Il est en cela fort représentatif de cette Église qu'il domina si orgueilleusement, puisque, grevée de ces complexes dont il l'avait engrossée, elle n'a pas davantage su les reconnaître ou les assumer. (Voir ici l'œuvre actuelle du prêtre Eugen Drewermann qui expose de façon lumineuse la névrose chronique de la religion chrétienne.)

En effet, comme nous le verrons, les complexes d'Augustin sont devenus les complexes de l'Église qui sont, bien entendu, ceux de l'ensemble des chrétiens, pour ne pas dire des Occidentaux. Et c'est parce qu'il n'a pas reconnu ses complexes qu'Augustin a si profondément empoisonné la conscience et l'intelligence occidentales. On pourrait même dire qu'en cette qualité, il les résume et les symbolise. (Tout ce chapitre est éclairé par la lecture du livre d'Elaine Pagels, *Adam, Eve and the Serpent* (Vintage Books) ainsi que par la magistrale étude de Paul Johnson, *A History of Christianity*, publiée chez Penguin.)

Avant sa conversion à vingt-neuf ans, Augustin vivait dans le libertinage généreux et s'était fait le disciple du manichéisme, qui condamnait la chair et le monde en pratiquant un dualisme radical. C'est du reste pour jouir au maximum de sa vie licencieuse qu'il a retardé sa conversion. Si bien que lorsqu'il reçoit le baptême, il fait un volte-face absolu, devenant pessimiste à l'égard de l'être humain et farouchement opposé à tout ce qui touche le sexe et surtout la femme, la tenant responsable de cette libido qu'il n'est jamais parvenu à maîtriser. Augustin était tellement imbu de sa propre personne qu'il se voyait comme le modèle de la race humaine, de sorte que tout ce qu'il ressentait et expérimentait (par exemple son obsession sexuelle et sa honte) ne pouvait qu'être homologué chez tous ses semblables.

L'ÉGLISE D' AUGUSTIN

Déjà son maître, saint Jérôme, affirmait dans son pamphlet *Adversus Jovinianum*, que «toute relation sexuelle est sale». Il avait appris à son élève comment mépriser sa chair et avoir honte de toutes pratiques sexuelles passées. Tout cela était loin d'être la position majoritaire de l'Église depuis ses débuts, comme le montrent les œuvres de Clément d'Alexandrie, de Tertullien, de Grégoire de Nysse, de Justin et des quatre siècles qui ont précédé la religion augustinienne.

Jusqu'au Ve siècle, l'Église romaine et byzantine était en effet un bouillon de culture où les opinions les plus diverses s'exprimaient librement. Ce n'était pas du tout l'oligarchie rigide et intolérante qui allait plus tard imposer un carcan appelé le Canon Romain. Non, tout était pour ainsi dire à l'essai, comme dans un vaste atelier. On croyait à la liberté de l'être humain, à sa bonté fondamentale, à la loi naturelle exprimée dans les phénomènes tels que la mort et la souffrance. Mais tout cela allait changer radicalement avec Augustin qui était servi par un remarquable talent de persuasion et des idées de plus en plus pessimistes. Ce changement fut si profond que l'on peut maintenant dire que ce n'est pas le christianisme que l'on connaît depuis quinze siècles mais l'augustinisme.

LES INTOLÉRANCES D'AUGUSTIN

Avec l'âge, Augustin était devenu plus intolérant. Par exemple:

- Il avait aboli les droits civils des non-chrétiens;
- Il avait imposé aux hérétiques des punitions, des amendes et l'exclusion de toute charge publique; il avait même recours aux pots-de-vin;
- Il refusa le droit de s'exprimer aux évêques donatistes en utilisant la force;
- «Il écrivit le premier traité justifiant dans l'Église le droit politique de supprimer les non-catholiques.» (Peter Brown, *Augustine*) La force militaire était pour lui indispensable dans la suppression des hérétiques;
- Il finit par croire que «la peur et la force étaient nécessaires dans l'Église, car chrétiens et païens ne répondaient habi-

tuellement qu'à la peur» (*De baptismo*);

- Il allait jusqu'à prétendre que la torture était nécessaire, puisque l'Église était à ses yeux le médecin qui, sans tenir compte des opinions et plaintes du patient, devait utiliser la «chirurgie» s'il la jugeait nécessaire;
- Il croyait que l'être humain, même une fois baptisé, ne savait se conduire lui-même, et qu'il lui fallait donc être sauvé, soutenu et guéri par l'Église.

Augustin, parce qu'il ne pouvait se maîtriser lui-même et vivait dans une culpabilité sexuelle chronique, croyait que tous les mâles étaient irrémédiablement corrompus et que ceux qui se disaient chastes étaient des menteurs et des charlatans. La cause physique de cette culpabilité universelle était **le sperme du mâle**, le lieu précis du péché originel. «Dans la sagesse infinie de Dieu, les organes génitaux ont été faits en toute convenance les instruments de la transmission du péché originel: *Ecce unde*! Voilà la place! C'est à partir de là que le premier péché est transmis!» Et bien entendu, c'est la femme qui tente l'homme et qui le fait pécher.

Tout acte sexuel était donc péché mortel, sauf lorsque l'intention était de procréer (Dieu était bon!). Et ce péché d'origine sexuelle avait été, bien sûr, tout d'abord la responsabilité d'Adam, qui entraînait dans sa perte tous les humains originant de sa semence infernale. Ainsi, non seulement nous serions irrémédiablement condamnés, mais nous serions également responsables de notre mort et de tous les maux que nous nous sommes attirés. (On reconnaît plusieurs traits de cette culpabilité universelle dans les idées répandues par le «Nouvel Âge».)

Augustin croyait que par le péché d'Adam toute la création est radicalement corrompue, mauvaise et à la merci de la Miséricorde infinie. Tout homme est contenu en Adam. Depuis Augustin, cette doctrine du péché originel est demeurée la croyance inébranlable de l'Église. Sans doute que tous les chrétiens en sont imbus, même les protestants, et en particulier les Luthériens, car faut-il le rappeler, Martin Luther appartenait à l'Ordre des Augustiniens!

COUPABLE DE MOURIR?

Selon cette doctrine, la mort ne survient pas comme un événement naturel, elle est provoquée par notre péché, donc voulue (*Opus imperfectum*). La souffrance, la maladie, l'oppression, le labeur sont les autres punitions que nous nous attirons. Augustin était violemment opposé à la croyance inverse, défendue par Justin et Pélage, ses ennemis jurés. Ces esprits libres croyaient que les désirs et la volonté n'ont aucune influence sur les événements naturels telle la mort. Par conséquent, l'homme ne s'est jamais attiré celle-ci et il ne peut non plus la vaincre par un acte de volonté, car elle est dans la nature même des choses.

L'ESPRIT TENDANCIEUX D'AUGUSTIN

C'est l'interprétation de deux passages de saint Paul qui révèlent le mieux la mauvaise foi d'Augustin. Le premier texte est tiré de l'Épître aux Romains (5:12), où il a traduit le passage «ainsi la mort a visité tous les hommes, en ce que tous ont péché (*eph ô*)» par «en lequel (Adam) tous ont péché». Augustin rendait ainsi toute l'humanité responsable non seulement de la mort universelle mais du péché indéracinable, inévitable et également universel.

Le deuxième texte est tiré de la Lettre aux Romains, au chapitre 7, qu'Augustin interprète dans une perspective sexuelle, convaincu que la maladie du péché venait avec la conception. Voici le texte en question: «Mais je vois dans mes membres une autre loi, qui lutte contre la loi de mon entendement et qui me rend captif de la loi du péché, qui est dans mes membres. Misérable que je suis! Qui me délivrera du corps de cette mort?» Mais Augustin a négligé le reste du texte qui va dans un tout autre sens: «Grâces soient rendues à Dieu par Jésus-Christ notre Seigneur... Il n'y a donc maintenant aucune condamnation pour ceux qui sont en Jésus-Christ. Car la loi de l'Esprit de vie dans le Christ Jésus m'a affranchi de la loi du péché et de la mort.»

À cause de sa vision négative, Augustin croyait les chrétiens incapables de se gouverner eux-mêmes. C'est pour cela que L'Église leur était absolument nécessaire. Augustin, rompu à la diplomatie, savait flatter cette mère nourricière en justifiant ses théories sur le péché et en s'assurant ainsi un rôle prépondérant dans son sein. En effet, l'Église n'a pas tardé à voir en lui le défenseur de son empire (il y avait belle lurette qu'au Ve siècle l'Église avait cessé d'être le Royaume de Dieu réclamé par Jésus). Aussi, était-il tout à fait dans sa logique de puissance impériale et absolue de couronner ce digne fils en le canonisant. Voilà pourquoi on a appelé ce pourfendeur de femme, de sexe et d'hérésies, ce manipulateur, ce violateur des volontés, cet empoisonneur des consciences à venir, du nom de «saint» Augustin. Au lieu de s'acharner contre ses ennemis (Pélage, Mani, les Cathares, Luther, Galilée, Giordano Bruno, Voltaire, Marx, Freud, Darwin, Teilhard et maintenant Drewermann), l'Église aurait mieux fait de se garder honnête en assumant à chaque époque son merdier. S'il est vrai que pour être intégré et vrai chacun doit se regarder en face et assumer les contenus de sa mémoire, il en est de même pour toute institution, surtout quand elle a la prétention d'être pure et sans tache!

LOIN DE LA LUMIÈRE

Comme on est loin de la voie intérieure, autonome et spirituelle des gnostiques! Ceux-ci ont précédé Augustin, mais il n'a jamais su les entendre, et pourtant, la guérison se trouvait déjà à sa portée.

«La racine de notre mal sera arrachée dès que nous reconnaîtrons celui-ci. Mais si nous ne savons pas qu'il s'y trouve, il prendra racine et produira son fruit dans notre cœur; il nous maîtrisera, car sa puissance vient de ce que nous ne l'avons pas reconnu... *Ce qui nous transforme spirituellement, c'est l'auto-observation continue, en même temps que le fait de reconnaître le mal en nous où que nous le trouvions.*» (*Évangile de Philippe*)

Mais pour que la guérison se produise, il fallait une disposition qu'Augustin ne semble jamais avoir connue: l'humilité, celle qui consiste à vivre avec sa «fosse septique» et à l'observer sans blâme. Or, Augustin était incapable de se regarder sans se blâmer et c'est là la racine de son complexe.

OCCIDENTAUX AUGUSTINIENS

Il ne faudrait pas croire toutefois que les préjugés d'un évêque du Ve siècle soient loin derrière nous. Je pense que tous les Occidentaux ont reçu cette semence empoisonnée, et chacun à l'heure actuelle peut ressentir au fond de lui-même des élans de culpabilité déraisonnée, des peurs d'être perdus à jamais, des hontes inavouables ou inexplicables. Augustin est toujours présent par le complexe dont il a investi l'Église. Et comme celle-ci n'a pas examiné avec rigueur et sans blâme ses tendances augustiniennes, elle ne peut annoncer aucune bonne nouvelle. Jésus avait prédit la fin de la peur, mais Augustin a tôt fait de la remettre au cœur de l'homme, s'arrogeant le droit de tyranniser les consciences.

Tous ceux qui ont quitté les Églises et les groupes religieux pour se joindre à des religions nouvelles conservent des strates de croyances augustiniennes tout au fond de leur inconscient. Ce n'est qu'en portant un regard sans blâme, sans jugement, sans condamnation qu'ils se dégageront petit à petit de tous ces «feuilletés» engourdis par l'habitude d'une trop longue mémoire.

Ainsi, la part d'Extrême-Orient que l'Occident avait méprisée si longtemps nous apportera-t-elle ce regard sans blâme qui pourrait enfin nous guérir.

Chapitre 4

Culpabilité ou responsabilité?

La culpabilité héritée de l'Église d'Augustin était indissolublement liée à l'obligation de tendre de toutes ses forces vers la perfecion morale. Le Complexe olympique semée par cette attitude à vouloir être parfait à tout prix invitait donc immanquablement à la culpabilité, au découragement et au mépris de soi.

En fait, la volonté d'être parfait et celle de vouloir tout diriger ne font qu'un. En effet, être le meilleur, sans défaut, irréprochable et irréfutable rend les autres jaloux, crée des admirateurs, assujettit les cœurs et les volontés, donne du pouvoir et rend souverain. Être en haut permet de diriger ceux d'en bas. Mais en visant trop haut, en exigeant de soi, de son corps et de ses capacités un niveau de réalisation qui ne peut s'effectuer par notre seule volonté (c'est-à-dire par la morale), on laisse place à une culpabilité encore plus grande. On tombe dans l'autojugement et l'apitoiement. On se critique sans arrêt, on se compare sans cesse. On s'en veut à jamais de n'avoir pas pu impressionner, de n'avoir pas atteint le niveau convoité, la gloire rêvée par ses parents, la médaille d'or tant désirée, la faveur du public, de ses pairs, de son pays, et peut-être même du monde.

Et ce n'est pas tout! À force de toujours se juger, on projette cette attitude sur les autres. On devient intolérant, envieux, mesquin, même méchant. On est à la limite de la division: on voit tous les autres concurrents (ou même les autres tout court) comme des menaces, des ennemis potentiels. À force de ne pas s'aimer perdant, de vouloir faire pousser la fleur en lui tirant les pétales, on viole son mouvement naturel vers l'épanouissement, on violente sa poussée intérieure qui est du même élan que le courant irrésistible d'une rivière ou la sève de l'arbre qui monte.

VOULOIR DIRIGER LA VIE LA PARALYSE

En réalité, on paralyse le mouvement à force de vouloir l'accélérer. En remplaçant l'impulsion spontanée de la vie en nous par notre volonté propre, on agit un peu comme le sucre blanc qui modifie la production spontanée de glucose et perturbe ainsi la secrétion réglée de l'insuline. Essayez de saliver volontairement ou encore forcez-vous à être spontané ou naturel ou simple et vous verrez combien la vie dans son activité secrète nous échappe. Nous n'avons pas de prise sur ce qui «marche tout seul» en nous et dans la nature. La vie est insaisissable dans sa spontanéité. Elle manifeste en cela sa transcendance. On ne peut l'acquérir par volonté ni même la prolonger si cela violente son élan propre.

En se donnant l'obligation de tout diriger, on va, par une conséquence naturelle, se rendre coupable de vivre la vie que l'on vit, qu'elle soit réussite ou échec. On s'accusera d'être malade, souffrant, pauvre ou malaimé, et on va même s'en vouloir de mourir. On se croira coupable de ce que nos enfants refusent de nous voir, de ce que notre conjoint nous ait abandonné, de ce que notre frérot se soit noyé en notre présence ou du suicide de notre enfant. D'autres vont jusqu'à s'en vouloir amèrement de ce que le monde aille à sa perte, de voir le mal, la guerre et la faim proliférer. On porte sur soi le malheur des autres, on s'en rend coupable, comme le bouc émissaire qui, tel un paratonnerre, attire toutes les foudres. On a confondu culpabilité et responsabilité.

LA CULPABILITÉ

La première forme de culpabilité qui nous vient à l'esprit appartient au monde juridique. C'est la culpabilité que reconnaît la justice en condamnant un citoyen qui a commis un acte criminel. Dans ce cas, selon le code établi et après un examen fouillé de ses gestes et mobiles probables, l'acte du citoyen est jugé passible d'une amende, de la prison ou de mort. Cette forme de culpabilité ne juge que les actes extérieurs, elle est considérée comme objective. La justice peut avoir, bien sûr, des soupçons quant aux mobiles secrets du citoyen appréhendé, mais elle ne peut juger la conscience de celui-ci, elle ne peut mesurer jusqu'à quel point il se tient lui-même responsable de son acte.

La culpabilité dont je parle dans le présent chapitre est d'une autre espèce. Elle est subjective. Il ne s'agit pas d'apprécier la valeur ou la gravité d'un acte aperçu de l'extérieur, mais seulement en ce qu'il éveille l'autoréprobation chez l'individu, le remords, le goût de s'en vouloir, de s'autopunir au point de se détruire. C'est le sentiment de la faute que l'on n'accepte pas d'avoir commis, car si on l'acceptait, on ne se tourmenterait pas ainsi. On s'en veut de s'être trompé, d'avoir été faible et imparfait, et on ne peut tolérer de se trouver dans cet état.

La personne peut n'avoir rien fait; là n'est pas la question. Elle réagit comme si c'était elle qui avait commis le crime, comme si elle était perdue à jamais et que l'univers entier la jugeait. C'est donc un état excessif, une maladie de l'émotion, une forme d'autopunition et de jugement immodéré porté contre soi-même uniquement *parce l'on ne s'aime pas et que l'on ne peut par conséquent que se punir*. C'est le ver qui rongeait la conscience du Raskolnikov de Dostoïevski.

Cette forme de culpabilité est souvent provoquée par une première pensée semée par un parent lorsque l'enfant est en bas âge. Si on juge l'enfant, si on le condamne, si on ne l'aime pas ou si on lui dit qu'il n'est pas beau, il se verra toujours coupable du mal qu'il attire, du mal qui lui arrivera ou de celui qui atteindra les autres à cause de lui.

UN EXEMPLE CONCRET

Un de mes amis a vécu ainsi enfermé dans la culpabilité une bonne partie de sa vie. Adolescent, il se masturbait, mais comme il devait confesser chaque semaine ce qui était jugé péché mortel et qu'il ne pouvait honnêtement promettre de ne plus recommencer (ce qui constituait une des conditions pour obtenir l'absolution), le pauvre garçon ne put résoudre son problème et à force de se voir vivre ainsi dans un double péché mortel (la masturbation en plus du sacrilège d'avoir menti en confession), il se tourna vers l'alcoolisme dont il ne put sortir avant la trentaine. (L'alcoolisme est une façon de fuir sa responsabilité en se noyant justement dans la culpabilité.)

LA RESPONSABILITÉ

Se sentir coupable, c'est être tourné vers soi; être responsable, c'est se tourner vers les autres. La culpabilité est émotive alors que la responsabilité n'est en aucune façon trouble. On se sent coupable uniquement parce que l'on n'aime pas ce que l'on est, on se voit comme un échec. On dramatise son geste pour attirer la pitié, pour se donner de l'importance, car la culpabilité prend racine dans le sentiment d'être jugé, c'est-à-dire d'être séparé de l'ensemble, coupé de l'univers et isolé. La responsabilité quant à elle a une dimension communautaire, même universelle. Elle vient d'un sentiment d'appartenance.

Nous sommes tous responsables parce que nous appartenons tous au même corps, unis par la conscience, par cette intelligence créatrice qui nous anime, nous fait fleurir, nous diversifie, nous épanouit, nous réalise. Cette Conscience ne connaît pas la division que nous opérons dans les choses et dans les actes; elle ne divise pas comme font l'émotion et le mental lorsque nous nous jugeons et nous condamnons de façon excessive et dramatique. Par cette intelligence une nous avons à répondre aux autres, à leur répondre de nos engagements, tout comme chaque cellule de notre corps est éveillée à la totalité des autres cellules et voit à prêter main-forte lorsqu'un membre ou un organe réclame du secours. Chaque cellule porte le souci de l'ensemble et lui répond: c'est parce qu'elle a le souci de l'ensemble qu'elle peut justement lui répondre. Elle a la responsabilité de tout le corps, en jouant son rôle du mieux qu'elle le peut et en tirant sa valeur de la totalité dans laquelle elle se perd.

C'est tous ensemble que nous sommes responsables des actes de l'humanité. Nous devons répondre aux autres de notre façon de les traiter et de nous traiter nous-même. Nous devons répondre des autres en commençant par ceux qui forment avec nous une famille, un cercle d'amis, une communauté, un village, une ville. Nous répondons de cette humanité qui nous est commune et qui contient de la lumière autant que de l'ombre, des possibilités infinies en même temps que des failles et des limites. Nous ne devons jamais plus nous considérer comme séparé de l'ensemble, pour le bien comme pour le mal. C'est une aventure de groupe, c'est l'aventure de l'humanité en ce qu'elle est indéchirable. Il y a une écologie de la responsabilité qui nous tient ensemble en un tout inviolable par nos actes, autant que la nature physique tient ensemble toutes les créatures par des attaches infinies.

Chapitre 5

La pensée qui nous mène

LA PENSÉE DEVENUE MÉMOIRE

David Bohm, le physicien-sage de renommée mondiale récemment disparu, nous a livré un ultime message sur la force et l'inconscience de nos préjugés dans un livre intitulé *Changing Consciousness*, titre qui pourrait se traduire à la fois par «Changer la conscience» ou «La conscience qui change». Pour cet homme remarquable reprenant à sa manière la Grande Tradition spirituelle, la pensée est à la racine de tous nos maux, car c'est un produit inerte qui n'est jamais remis en question, surtout en ce qui regarde les pensées semées en nous dès l'enfance. Quand le mental fonctionne, dit Bohm, ce qui se produit s'appelle une pensée. La pensée, c'est toujours du passé, c'est **ce qui a déjà été pensé**, c'est-à-dire un participe passé. Le pensé, c'est du passé; le passé, c'est du pensé. Cela est devenu inerte.

La pensée, c'est la réponse fondée sur la mémoire. Dès qu'on essaie de répondre à la vie, la mémoire intervient. Avant qu'on ait regardé la réalité telle qu'elle est, la mémoire s'impose et fournit une réponse qui est toujours évidemment du tout cuit. Tout ce qui a été pensé, c'est de la mémoire dont on perd les traces: on ne sait comment c'est venu et on ne sait comment le retrouver. On ne sait même plus pourquoi on pense comme ça. C'est comme si c'était là depuis toujours. C'est devenu inconscient. On croit bien sûr que toutes ces pensées apparues dès notre tendre enfance ou celle de l'humanité, que tout cela n'a pas d'effet, n'a déjà plus d'effet. Mais, en réalité, ces empreintes, ces idées, ces propositions, ces affirmations et ces croyances sont devenues notre mémoire, un bloc compact de pensées stéréotypées qui conditionnent toutes nos attitudes. Telles sont par exemple nos croyances en Dieu, la conception que nous avons de notre pays, de l'être humain, de l'étranger, des races dites inférieures, de la famille, de l'argent, de la sexualité, de la mort et de nos culpabilités immémoriales.

L'INTELLIGENCE

La pensée, ce n'est pas l'intelligence, dit Bohm. Celle-ci voit **ce qui est** au moment où cela se produit. L'intelligence, c'est la perception consciente et éveillée, consciente de la mémoire et donc déjà libre à son égard. C'est ce qui s'appelle être vigilant, être conscient. L'intelligence est la source de toute créativité, car elle unit et voit le rapport entre les choses, elle ne fragmente pas, ne se sent pas tenue d'analyser ou de cloisonner pour comprendre. Elle saisit tout d'un trait, comme l'oiseau migrateur qui dans son envol embrasse tout le paysage d'un seul regard. L'intelligence ne vit pas dans les polarisations masculin/féminin, blanc/noir, bien/mal, mort/vie.

Elle contient ces pôles dans un regard qui surplombe les différences.

En revanche, la pensée n'est pas créatrice mais passive. C'est ce qui a été pensé et qui est tombé en mémoire comme un pierre au fond d'une mare. Or, ce qui a été pensé mais n'est plus maintenu activement dans le regard aigu de l'intelligence va influencer **inconsciemment** toute attitude, par un mélange de préjugés et d'émotions. La mémoire, cet ensemble de notions enregistrées, empêche ainsi **de voir ce qui est** et de l'accepter comme seule réalité. Le mental va plutôt se réfugier derrière l'écran des souvenirs, des regrets, des remords, des fantasmes, parce qu'il ne sait regarder la réalité en face. C'est la première pensée qui, s'infiltrant entre nous et la réalité, initie cette fausse interprétation. Mais chaque fois que le sujet entreprendra une action, la pensée-préjugé agira si vite qu'il n'aura guère le temps de s'en rendre compte s'il n'a pas éveillé son intelligence, c'est-à-dire sa conscience.

La première pensée transmise par un parent, une autorité religieuse, un texte sacré ou un chef civil est entrée en nous sans douleur comme une intraveineuse habilement administrée. Le poison s'est immiscé dans nos veines et s'est perdu dans les corridors de la mémoire. Il est devenu nous-mêmes, tout simplement. Nous étions trop réceptifs et sans soupçon pour savoir réagir et refuser. Nous étions en fait les enfants de la croyance reçue. Et chaque fois que la leçon ou la vérité maintenues et enseignées par le groupe nous étaient répétées, le «feuilleté» de notions apprises s'épaississait et se densifiait au point de devenir solide comme des strates géologiques.

LA PENSÉE EST PRISE POUR UNE RÉALITÉ

La pensée devenue mémoire nous manipule justement parce que nous ne la voyons pas comme quelque chose qui a été implantée mais comme ayant toujours été là, comme nous-mêmes. Nous croirons par exemple que nous sommes de peu de valeur ou au contraire supérieur aux autres, pleins de culpabilité ou remplis d'audace, confiants dans l'univers ou rongés de doute. La pensée devient réalité dès qu'elle est semée en nous par un agent de l'extérieur. Ensuite, elle s'incorpore à notre être jusqu'à devenir une émotion. Dès lors, elle apparaîtra comme une partie inséparable de nous, comme une évidence, une conviction, comme quelque chose d'aussi réel que le béton ou l'acier inoxydable. C'est devenu un fait indiscutable: c'est ainsi et pas autrement. Nous sommes nos pensées (c'est-à-dire nos préjugés), ce que, bien sûr, nous ne pouvons pas accepter.

Nous avons oublié qu'au début ce n'était qu'une idée qui s'est par la suite implantée pour devenir l'émotion, pour devenir nous-mêmes, oubliant ainsi comment elle s'y était acheminée. Nous sommes donc désormais prêts à défendre cette idée avec passion, avec férocité, jusqu'à tuer pour la maintenir.

C'est ainsi que toutes sortes de préjugés, qui ont commencé par n'être qu'une simple petite idée, ont fini par former notre conscience morale et créer nos complexes: «le sexe est mauvais», «tout humain est pourri», «Dieu te jugera», «l'argent est mauvais», «le pouvoir a toujours raison», «notre nation est supérieure», «toutes les nations sont fondamentalement distinctes», «il y a les bons et les mauvais», «il y a des races inférieures», «nous sommes les choisis de Dieu», «notre religion est la seule bonne», «les femmes sont inférieures aux hommes», etc. Chacune de ces idées peut mener vers toutes les sortes de conflits, d'abus et de destruction. Il suffit d'y être logique.

Ainsi, le fait de croire que l'homme est supérieur à la femme, qu'il est même destiné à tout diriger, a donné lieu à des guerres, à des tortures et à des viols de toute espèce. La moindre idée qui penche d'un côté peut faire basculer tout un monde, car chacune de ces idées s'enfonce dans la mémoire, vaste réservoir d'empreintes passives agissant avec l'inertie de l'habitude et rendant par là-même toute remise en question de plus en plus difficile. La mémoire est un réservoir silencieux et sourd qui se fait discret comme le fond de la mer. On oublie que tout ce qui nous meut inconsciemment depuis cette fosse profonde est semé là **par nous** et que ce n'est par conséquent ni inévitable, ni éternel, ni impossible à remettre en question.

LA PENSÉE MODIFIE NOTRE FAÇON DE VOIR ET DE VIVRE

Nous considérons les frontières entre les nations comme tout à fait réelles et fondées sur la nature et la vérité alors qu'elles sont totalement le fruit d'une certaine façon de penser, celle qui un jour a reconnu une valeur dans cette fragmentation arbitraire et abstraite et qui s'est acharnée à vouloir que les gens de l'autre côté du mur soient totalement et irrémédiablement différents.

Ce n'est pas comme l'oiseau qui traverse un continent sans y voir autre chose que ce qui le rassemble en une seule pièce. L'oiseau dans sa migration ne reconnaît pas de distinction entre les pays et les peuples. Tout est pour lui d'un seul tenant comme une robe sans couture. Il n'a pas appris à fragmenter. **Il relie les choses en les regardant de plus haut.** Son envol est d'un seul trait, et c'est cette perception englobante qui rend sa liberté possible. Il est présent à tout parce qu'il ne pense pas: il voit.

Petit à petit, on s'aperçoit qu'on ne peut facilement sacrifier les croyances qui se sont structurées avec le temps sans que toute la charpente ne s'écroule. Telles seraient par exemple les croyances religieuses suivantes: «nous sommes chroniquement coupables», «notre religion est la meilleure», «le pape ne peut se tromper», «hors de l'Église point de salut», «la femme doit être soumise à l'homme», «les homosexuels sont damnés».

Cette obstination se manifestera aussi bien dans le domaine politique. Ainsi, selon Bohm, dont je tente de résumer ici la position, nous prétendrons que notre nation est plus unie qu'elle ne l'est vraiment. (En réalité, aucune nation n'est vraiment unie.)

Et nous nous ferons accroire également que les nations sont complètement distinctes. (Aucune ne l'est, en réalité.) Tout cela n'est que fiction, ce ne sont que croyances pour se permettre (ou s'obliger) de maintenir certaines choses. Comme durant une guerre, où la propagande du pays fait croire que l'on est en train de gagner alors qu'il n'en est rien. On entretient le mensonge. C'est le produit de la pensée, qui fragmente ce qui est uni et qui unit ce qui n'est pas fait pour l'être.

LA PENSÉE FRAGMENTE TOUT

La pensée analyse tout et fait de chaque morceau un absolu. Elle polarise, divise, démontrant avec persistance que ces pôles sont des réalités. Elle s'en convainc et sous la poussée de l'émotion, se refuse de voir qu'elle se trompe elle-même.

Nous croyons par exemple que tous les êtres sont différents, séparés et complètement coupés de tous les autres. Nous refusons de voir tout d'abord ce qui les lie ou les unit: la bonté profonde, le goût de vivre, d'aimer, de posséder, l'amour des enfants, la réussite, la maladie, la mort. Mais ce n'est pas tout. Nous prévilégions au contraire la catégorisation, la critique, les commérages, les rumeurs, tout ce qui met en boîte les gens et généralise leurs attitudes. «Ça se comprend, ce sont des Juifs.» «Je ne loue plus mes appartements à des Noirs.» «Les Anglais nous ont assez causé du tort, je ne veux plus en voir un seul.» «Tous les musulmans sont intolérants.» Des habitants qui ont vécu ensemble côte à côte pendant des années commencent à attirer l'attention sur un trait déplaisant d'un groupe particulier... et ainsi commence une guerre civile. Très jeunes on nous apprend à juger par des gestes de mépris, par un refus de regarder dans les yeux ou de saluer, par un surnom qui fustige l'étranger, par des interprétations complètement fausses de comportements qu'on ne veut pas comprendre.

Cela a commencé par une simple petite idée. «Sais-tu, dit un jour le mari à sa femme, en présence des enfants, il y a quelque chose chez ce type que je trouve hypocrite et dégoûtant.» Et la femme de rétorquer: «Quoi, tu ne savais pas qu'il était juif?» Et voilà, la balle est lancée. La pensée s'enfonce dans la mémoire inconsciente des petits et tôt ou tard ils se justifieront d'en vouloir à quelqu'un simplement parce qu'il est juif: «Comme mes parents avaient raison.» Ce jugement héréditaire va mener sourdement et aveuglément vers les guerres de religion, les tortures, les génocides, et toujours dans la plus sublime autojustification. (L'éminent historien Butterfield disait que c'était là le défaut le plus répandu dans l'histoire humaine!)

LA DIFFICILE REMISE EN QUESTION

Mais il n'y a pas que chez l'individu ou les groupes que se creusent et se solidifient les préjugés jusqu'à devenir des façons de voir absolues et impossibles à remettre en question. C'est toute l'humanité qui, depuis ses débuts, charrie dans ses veines, ses muscles et ses neurones des attitudes qui s'empilent et s'endurcissent par des enseignements, des discussions, des sermons, des écrits, des discours, de sorte que chaque nation verra dans son préjugé une nécessité péremptoire d'y croire, sous peine de voir sa civilisation, sa culture, sa famille, son idéologie s'écrouler ou disparaître. **«Mais c'est inadmissible! Jamais, vous entendez, jamais!!! Notre nation existe, elle est unique au monde et sa valeur est supérieure à toute autre. Deutschland über alles. USA is Number One. Saddam Hussein écrasera ce démon américain.»** Quelqu'un qui croit cela ne pourra pas demeurer insensible à toute attaque, il défendra cette idée/émotion avant toutes choses et sera prêt à lui sacrifier sa vie. Il se voit devant une évidence et non devant une pure fabrication de la pensée. («Où allez-vous chercher ça, voyons! Je suis réaliste et n'ai pas l'habitude de m'emporter. Non, croyez-moi, c'est tout à fait objectif et mûrement réfléchi.» Nous disons tous cela.)

Ainsi, des groupes sont prêts à tout endurer pour maintenir leurs préjugés émotifs.On appelle cela des martyrs! Et il est facile d'en créer: pas nécessaire que sa religion soit la bonne ou la meilleure, pas nécessaire même que notre politique ou notre idéologie soit humanitaire ou même humaine. Il suffit d'être irrémédiablement entêté par une émotion absolue.

L'ÉMOTION BLOQUE L'INTELLIGENCE

L'émotion est le signe que l'on a cessé de se remettre en question, que l'on a perdu son sens critique, que l'on ne voit plus. L'intelligence est alors éclipsée par la mémoire.

On est identifié à une idée: être Français, être Juif, être Serbe, être Québécois, avoir la meilleure armée, avoir les meilleurs penseurs, être économiquement les plus forts, être les plus populaires, avoir raison, produire les meilleures bombes, les meilleurs chars, être ceux qui en vendent le plus, gagner le plus de médailles sportives, Ah! ces cons d'Américains, ils sont loin d'avoir notre niveau de culture!

C'est le propre de l'émotion de diminuer l'intelligence. Il est utile de répéter ici que Gustave LeBon, sociologue du XIXe siècle, avait noté dans ses recherches sur les comportements de foule, qu'un groupe – lors d'un événement sportif, d'un rallye politique ou d'un rassemblement religieux – fait toujours perdre à l'individu son autonomie, de telle sorte que si tout le monde vote «pour», il lui faut être très fort pour se lever et dire «je suis contre». On sera trop emporté par l'émotion du groupe pour pouvoir penser de façon autonome, pour que l'intelligence joue son rôle. LeBon concluait en disant que plus l'émotion augmente dans un groupe, plus l'intelligence diminue.

LA PENSÉE SE DÉFEND MÊME QUAND ELLE A TORT

Désormais engagée par l'émotion, la pensée peut alors se défendre contre tout argument, même si sa position est fragile ou s'il est évident qu'elle est dans son tort. (J'allais dire surtout si c'est évident.) Le mental a tendance à éviter les pensées déplaisantes, dit Bohm. Elles troublent le corps et les émotions, et nul n'aime être troublé.

Nous éviterons donc les pensées qui peuvent nous offenser ou nous obliger à changer de cap. Nous affirmerons au contraire celles qui nous permettront de croire que tout va pour le mieux dans le meilleur des mondes. La pensée positive peut donc être une façon de demeurer inconscient. «Y a d'la joie.» Oui, mais il y a aussi de la peine et l'un ne va pas sans l'autre. Ainsi, en temps de guerre, on répandra chez les citoyens de fausses nouvelles de façon à enfoncer l'idée que nos combattants sont victorieux et que le gouvernement maîtrise bien la situation. De même, les prospecteurs forestiers vont affirmer que l'Amazonie est loin d'être en danger, que la forêt est à peine entamée. Ils se donnent ainsi bonne conscience et justifient les actes innommables qu'ils ne veulent pas nommer. Toute la kyrielle de compagnies qui polluent l'air, la terre et les eaux seraient à citer dans ce contexte. Je dois défendre un mensonge, pense-t-on sans se l'avouer. Vive *l'American way of life* pour tout le monde, le progrès sans fin, la production sans fin, la procréation sans limite, les armes sans limite; c'est devenu une nécessité absolue.

Si l'on est un fervent catholique, on s'entendra dire: «L'Église a toujours eu raison, autrement comment pourrait-on la croire?» Mais, tout d'abord, d'où vient cette affirmation, cette idée? N'est-ce pas là que commence le mauvais raisonnement? N'est-ce pas à partir de là que je voudrais tout justifier? L'empêchement de la famille que le pape veut voir éliminer du tiers monde, le mépris des femmes et des «gais», la peur du sexe et la culpabilité à cet égard sont autant de conclusions logiques à partir d'une fausse prémisse: l'Église a toujours raison. À supposer que ce soit plutôt l'inverse, que l'Église n'ait jamais eu davantage raison que d'autres, qu'elle s'est fondée sur des fictions, des croyances et des préjugés, mais qu'elle ait eu à sa disposition l'arsenal le plus puissant de peurs, de menaces, d'anathèmes, de condamnations, d'excommunications et de bûchers... Ainsi a-t-elle pu imposer des croyances fondées sur les commentaires d'événements scientifiquement non vérifiables que sont les évangiles.

La pensée fragmentée a créé un monde fragmenté, que nous croyons être le vrai monde, la réalité absolue. Nous avons perdu le sens de ce qui est réel. Nous ne savons pas distinguer entre ce qui est projeté par la mémoire et ce qui est perçu directement, c'est-à-dire vu par l'intelligence. Nous ne reconnaissons pas le voile, le filtre, l'écran, cette mémoire sournoise qui empêche de voir correctement. Quant à moi, j'ai souvent confondu le rêve et la réalité: en regardant un événement, une scène ou un paysage, je me suis demandé très fréquemment si ce n'était pas dans un rêve ou dans un roman que je les avais déjà aperçus. La mémoire peut jeter un écran sur ce que l'on croit voir et comme l'écran est transparent, on ne s'en aperçoit pas, et c'est alors qu'il suggère discrètement autre chose: une interprétation, un fantasme, une vision imaginaire.

LA PENSÉE EST ÉMOTION; L'ÉMOTION EST PENSÉE

Les émotions sont vraiment des pensées, des aspects de la pensée, la pensée la plus incarnée. La pensée donne naissance à une émotion et ensuite le mental attribue cette émotion à une réalité qui n'a rien à voir avec la pensée. Par exemple, je vois l'étranger comme une menace (émotion), car je sais que cet étranger (Juif, Maghrébin, Amérindien, Américain) **est en réalité** dangereux, peu fiable, peut-être même criminel. Je ne sais plus distinguer émotion, je la confonds avec ce que je crois être objectif alors que je ne peux même pas voir cette réalité objective. Je ne perçois donc que le produit de mon émotion, c'est-à-dire la pensée qui s'est muée en émotion.

LA REMISE EN QUESTION

La pensée est, selon David Bohm, une réponse venue de la mémoire. La pensée/mémoire ne peut se renouveler ou changer notre vision des choses: elle répète le passé. En la suivant, l'humanité entière s'engouffre de plus en plus dans les préjugés et l'intolérance, dans l'incapacité de voir les prises de position **fondamentales** qui se cachent derrière ses attitudes.

Imaginez si les critiques littéraires, politiques, artistiques et sociaux décidaient de commencer leurs articles ou leurs livres en avouant les quatre ou cinq préjugés qui sous-tendent leurs arguments. Imaginez s'ils commençaient par reconnaître qu'ils n'ont pas le regard du bon Dieu, qu'ils ne représentent pas la vision du monde civilisé, ni même qu'ils ne sont pas les seuls compétents en la matière. Imaginez s'ils acceptaient de n'être que ce qu'ils sont. Ce serait déjà toute une révolution! Imaginez maintenant que tous les clergés et les chefs religieux se mettaient à faire la même chose. Et enfin (poussons à bout notre délire), imaginons que les politiciens, les fonctionnaires et les corps policiers commenceraient à avouer leurs préjugés avant de parler et chaque fois qu'ils s'adresseraient aux concitoyens. Oui, en effet, nous aurions basculé dans un autre monde.

Aussi longtemps que les critiques – je les prends en exemple parce qu'ils sont **les interprètes officiels de nos préjugés** – que les critiques et tous les humains qui veulent voir au-delà de l'écran de croyances et d'émotions déformantes, aussi longtemps que chacun de nous n'a pas commencé à remettre en question, à regarder avec rigueur et sans complaisance les prémisses cachées derrière toutes nos théories et croyances, nous serons simplement charriés par un flot inéluctable d'inconscience vers une fragmentation totale. L'intelligence, c'est-à-dire la conscience éveillée, celle qui veille et qui reste vigilante, seule cette intelligence peut nous apprendre à voir sans toujours s'appuyer sur la mémoire, sans vivre de citations, de commentaires et d'interprétations désincarnées, pour enfin arriver à voir ce qui est, en commençant par ce qui dort en chacun de nous et que nous ne voulons pas regarder en face, de peur de nous éveiller.

Comme le disait Stephen Jourdain: «On ne peut atteindre l'éveil qu'en traversant à reculons toutes nos intentions, toutes nos motivations, y compris celle d'atteindre l'éveil. Il faut extirper de soi-même toutes ses intentions, toutes ses volontés, même les plus élevées...» C'est ce que David Bohm nous a engagés à entreprendre pour réussir un peu plus chaque jour à vivre pleinement dans ce monde.

Chapitre 6

La difficulté de se voir

Les Amérindiens que j'ai connus pendant les quelque douze ans passés à Sudbury, en Ontario, en plus de ceux qui j'ai rencontrés personnellement au Québec ont beaucoup contribué à remettre en question les jugements que j'entretenais à l'égard du peuple amérindien. Mais c'est un grand ami du nom de Roland Chénier, qui enseigne chez les Amérindiens de Mistassini et qui les connaît bien, qui m'a vraiment ouvert les yeux, en me faisant cadeau du livre de Rupert Ross, un avocat canadien. Celui-ci écrit dans *Dancing With a Ghost* (Danser avec un Esprit) comment il a eu du mal à comprendre le système moral et légal des Cris* et des Algonquins*, parce qu'il s'acharnait à les voir à travers des lunettes anglo-canadiennes. C'est à force d'avoir à défendre des Indiens en cour de justice que ses préjugés sont apparus de plus en plus et qu'il a peu à peu compris que cela l'empêchait de comprendre les valeurs et principes derrière leurs comportements. Bien que Ross s'en tienne surtout à ces deux peuples du nord de l'Ontario, je pense que les leçons qu'il en tire valent pour toute la population indienne. Toutefois, il

---

* Les Cris et les Algonquins sont deux des principaux peuples autochtones du Canada.

ne faudrait pas lire ce chapitre comme un plaidoyer en faveur de la vision indigène bien qu'elle soit admirable à plusieurs points de vue. C'est plutôt une invitation à nous reconnaître et à sortir du jugement que nous entretenons sur nous-mêmes et que appliquons sans plus à l'Indien. «Incapables de voir au-delà de nos propres façons d'agir, nous ne pouvons voir qu'il en existe d'autres et nous concluons en jugeant que ces autres peuples refusent de collaborer ou qu'ils sont incapables d'accéder à nos modes d'agir supérieurs.»

Or, les comportements indigènes sont différents justement parce qu'ils sont le produit de pensées/matrices différentes. Ce n'est pas que leurs opinions soient meilleures ou plus souhaitables en soi, mais la différence de leur vision du monde nous rappelle qu'à force de vivre dans nos habitudes et nos pensées, nous avons perdu la capacité de comprendre et de voir. Il n'est donc pas question de savoir quelle vision du monde est supérieure. (Rappelons, en passant, que les peuplades étudiées autrefois par l'anthropologue Claude Lévi-Strauss montraient un degré de perfectionnement et un raffinement de comportement qui ont été rarement égalés par les peuples dits civilisés.) Mais, il a toujours été plus facile d'admettre ces choses quand on les lit dans un livre que lorsqu'on est pris à les vivre...

LES VALEURS MORALES DES INDIENS

Plusieurs valeurs guident le cœur de l'Amérindien. Nous nous en tenons ici aux Cris, aux Algonquins de même qu'aux Objibwé, cette tribu que j'ai côtoyée lors de mon séjour en Ontario. Ces valeurs sont en quelque sorte les fondements de leurs sociétés, de leurs liens et relations; ce sont ces principes qui tissent ensemble la communauté et qui fondent la vision commune de leur univers spirituel.

1. *LA BONTÉ DE L'HOMME*

L'être humain est fondamentalement bon. La vision indigène de l'être humain – et tout d'abord de l'Indien – est tout à fait positive. L'humain est essentiellement bon, bien qu'il puisse dévier. C'est l'inverse de la croyance occidentale, qui, comme nous l'avons vu, est largement héritée d'Augustin et voit l'humain comme irrémédiablement corrompu dans son cœur même. Il y a chez l'homme blanc une conviction secrète que finalement «l'homme est un loup pour l'homme» (la menace est partout), et que «personne n'est innocent» (tout le monde triche).

Selon sa vision des choses, l'Amérindien n'est pas porté à prodiguer ni blâme ni louange. Il n'exprimera ni critique ni gratitude. Et s'il y a eu de la délinquance ou une conduite réprouvée, il oubliera et voudra faire oublier le conflit et le désordre, n'attribuant aucune **culpabilité** à une personne qui aurait pu mal agir. Il mettra plutôt l'accent sur la capacité de guérir la personne et de lui dispenser un enseignement qui pourra l'aider à progresser. Les nations indigènes n'ont sans doute jamais envisagé la punition comme moyen d'endiguer les déviations morales de la tribu.

2. *LA NON-INGÉRENCE*

Le premier principe d'une vision positive de l'humain engage comme corollaire le principe de la non-ingérence dont l'application est très étendue dans les rapports quotidiens. L'Indien ne s'immiscera donc pas dans les droits, privilèges et activités d'un autre, quelles que soient sa responsabilité ou les erreurs que celui-ci pourrait commettre. (Le Blanc, lui, se croit le gardien de son frère et ne peut s'abstenir de donner des conseils ou même de prendre des mesures particulières lorsque son frère fait ce que lui juge être une erreur. C'est tout d'abord sa vision à lui qui compte, non celle de son frère.)

Traditionnellement, les Indiens n'aiment pas confronter les gens et s'ils peuvent donner des conseils, ce n'est qu'après une demande expresse. S'ingérer spontanément dans les affaires d'autrui ou même commenter un comportement, est considéré comme grossier, voire immoral.

Ainsi, dans une cour civile, fournir un témoignage sera perçu comme un acte de confrontation, comme une ingérence dans la vie d'un autre. Pour les Indiens, offrir un témoignage en cour criminelle, c'est poser un acte proprement immoral, tout comme le fait d'exiger d'un Indien qu'il témoigne contre un autre.

Un Indigène qui aura vu un crime se commettre ou qui en serait lui-même l'auteur pourra tout confesser privément à son avocat, mais une fois dans le box des accusés ou des témoins, il sera muet comme une carpe. (Ce qui fera dire à la justice des Blancs que l'Indien ne collabore pas, qu'il est coupable de mépris de cour, qu'il est de mauvaise foi ou encore qu'il est tout simplement idiot... Mais en réalité, il est alors farouchement fidèle à sa tradition.)

Tant et aussi longtemps que nous ne reconnaîtrons pas les principes qui guident la conscience morale d'un autre peuple, nous continuerons de mal interpréter ses paroles et ses comportements. Et si nous ne les voyons pas dans leur vraie perspective, c'est sans doute parce que nous ne reconnaissons pas les préjugés qui sous-tendent nos propres façons d'agir. Mais si les Amérindiens sont étonnés devant la manière dont nous appliquons notre système de justice, jamais ils n'ont par le passé exprimé cet étonnement. Ils sont demeurés complètement silencieux, démontrant par là-même combien ils respectaient le principe de non-ingérence qui était inscrit dans leur mémoire la plus profonde. (Du reste, dans l'ensemble, l'Amérindien trouve que les Blancs parlent beaucoup trop. Mais cela non plus il ne le dira pas.)

En fait, rappelle Ross, qui plaide depuis vingt ans en faveur des Indiens, nos cours de justice ne tiennent pas compte de ce que **sont** les personnes; elles se concentrent uniquement sur ce qu'elles **font**.

Elles réduisent les personnes à leurs gestes. En revanche, l'Amérindien ne considère pas ce qui a été fait, mais se concentre sur les dysfonctionnements individuel et familial qui sont à la source du conflit. Même quand il admet qu'un présumé coupable doit être éloigné de la communauté, il ne semble manifester aucun blâme, aucune rancune. Il n'est d'ailleurs pas rare de voir les familles des victimes s'attrouper autour du condamné après le procès pour l'embrasser et lui faire leurs adieux. En effet, il est remarquable de constater comme ils manifestent une extraordinaire capacité de pardon.

Les anciens chez les Cris, Algonquins et Objibwé, quand ils se réunissent pour étudier les cas problématiques, ne menacent pas les contrevenants. Ils leur rappellent plutôt combien ils sont importants pour leur famille et leur communauté, et ils leur parlent des contributions qu'ils pourraient faire à l'avenir. Ils soulignent aussi l'aide que la communauté est prête à fournir pour que tous réalisent leur potentiel. En toute circonstance, il semble bien que leur message fondamental rappelle que chaque personne amenée devant la loi peut, avec de l'aide, des conseils et un effort soutenu, réaliser **la bonté** qui sommeille en elle et qui tente de s'exprimer.

En revanche, nous, les Blancs, rappelons aux présumés criminels les résultats néfastes de leurs actes. Notre instrument favori est la peur (souvenons-nous d'Augustin!). Nous menaçons les criminels de lourdes sentences s'ils récidivent et leur assurons qu'il sera difficile pour eux de contenir leurs mauvaises habitudes ou de se libérer des accoutumances. Même si nous parlons de réhabilitation, nous semblons le faire sur un ton qui suggère que nous doutons qu'ils puissent jamais y parvenir. Finalement, nous appuyons beaucoup sur la punition, car dans notre société, commettre un crime semble indiquer que l'individu est une **mauvaise** personne, qu'il doit par conséquent être puni et coupé de la communauté. La vision indigène considère quant à elle le méfait comme une erreur de conduite qui demande de l'enseignement, ou comme une maladie qui doit être guérie. **La communauté se rapproche du délinquant** plutôt que de l'ostraciser, elle lui fait voir que c'est en l'aimant mieux et en l'entourant davantage de compassion que l'on finira par faire germer cette semence de bonté enfouie en chacun. C'est pourquoi, on oubliera le passé et les actes répréhensibles pour se concentrer sur les possibilités d'une guérison, sur un rapprochement plus serré de la communauté.

Aussi, les anciens trouvent-ils qu'il est inutile et même nocif de rappeler constamment à un délinquant tout le mal qu'il a perpétré, de répéter combien il a fait de tort aux autres, et que c'est son incapacité à réfreiner ses pulsions négatives qui est à blâmer. Ils s'efforcent au contraire d'améliorer l'estime de soi chez le détenu, en lui rappelant son potentiel de bonté, sa capacité de progresser, avec de l'aide, vers l'accomplissement de soi. Ils mettront volontiers l'accent sur le respect des personnes, en commençant par le respect de soi. Même l'idée d'un dossier criminel leur apparaît contraire à toute croissance, puisque cela ne fait que rappeler la faillite de l'individu alors que c'est le rappel des valeurs positives et des éléments courageux de la personne qu'il s'agit de mettre au premier plan.

3. *L'AUTONOMIE DES ENFANTS*

Le principe de non-ingérence s'applique également à l'éducation des enfants, que les Amérindiens voient comme autonomes et guidés de l'intérieur par le monde des Esprits. Cette non-ingérence en matière d'éducation est un des points qui choquent le plus la mentalité occidentale, habituée à vouloir tout diriger, surtout les faibles, les femmes et les enfants.

Mais ce n'est pas ainsi que le voit l'Indien. Par conséquent, on ne pourra forcer un enfant à aller à l'école. «Il sait qu'il doit y aller», répliquera le parent indigène. «Que puis-je faire pour l'y forcer?» Entendez: «Comment puis-je être fidèle au principe de non-ingérence et en même temps amener l'enfant de force à l'école?»

4. *NE PAS FAIRE PERDRE LA FACE*

Un des principes essentiels de la sagesse indigène et que l'on retrouve dans le comportement des Orientaux, c'est qu'il ne faut jamais fait perdre la face à quelqu'un. Faire sentir à quelqu'un qu'il est incapable, stupide ou inintelligent porterait un coup terrible à l'estime de soi et empêcherait le sujet de pouvoir jamais s'épanouir. Le devoir de chacun est donc d'aider les autres à avancer sur leur voie et d'être patient lorsque leurs actes ou leurs paroles montrent qu'ils ont encore du chemin à parcourir.

Le sujet doit s'effacer devant les autres et ne jamais vouloir l'emporter sur eux. On n'est important qu'en fonction de l'ensemble qui comprend aussi le monde des Esprits. En fait, on demande à chacun de renoncer à son *ego*. On n'exprimera donc pas les émotions qui troublent, car ce serait imposer aux autres une réaction, un souci, une inquiétude. Chacun devra simplement observer et reconnaître en lui les faits et apprendre à s'oublier.

Un comportement est très révélateur à ce sujet. Dans les assemblées, chacun à son tour récite les faits qu'il connaît ou qu'il a observés concernant un événement important. Ces énoncés ne semblent contenir aucune opinion. Un discours suit un autre, sans ce va-et-vient animé qui caractérise les discussions des Blancs. Les discours semblent avancer en cercle, avec beaucoup de répétitions de la part de chaque participant. Personne ne semble offrir une recommandation ou un point de vue décisif. En fait, les rencontres semblent s'achever ainsi, sans qu'aucune conclusion n'ait été donnée. Il est irritant pour un Blanc, avoue Ross, d'assister à ce genre de rencontres qui ne semblent jamais aboutir à des propositions claires et arrêtées, car ce qui importe à l'Amérindien ce n'est pas d'arriver à une conclusion, justement, mais d'assurer que **personne ne se sente amoindri, ignoré ou écrasé par quelqu'un d'autre**. (Ce procédé va décidément à l'encontre du Complexe olympique où il s'agit précisément de toujours arriver premier et d'écraser les adversaires.)

Mais il est capital que personne ne se sente forcé de céder à l'opinion d'un autre ou d'une majorité. Chacun doit sentir qu'il a contribué à la décision et que «sa» décision émerge autant que celle des autres. Il serait en effet immoral d'agir comme si l'on était supérieur en quoi que ce soit, en faisant par exemple sentir à un autre son infériorité.

UNE VISION SPIRITUELLE

Les Amérindiens ont une vision non scientifique de la réalité, ils se voient participants de la nature au même titre que les animaux. Selon eux, aucun humain n'est plus important qu'un animal ou une plante. Chaque créature est un corps plein d'esprit, toutes choses sont faites d'esprit, et l'homme est inspiré et entouré par un monde spirituel. Il leur paraît donc inutile de se cabrer, de refuser la vie et ses lois ou même de se révolter. Il leur est également inutile de se lamenter ou de se prendre en pitié. «Si ce sont les Esprits qui ordonnent nos destins, il ne vaut pas la peine de se mettre en colère.»

Cette vision amérindienne présentée par Rupert Ross n'élimine en rien les difficultés de vivre avec des Blancs, dans une civilisation basée sur le pouvoir, le viol de la terre, la violence institutionnalisée et des valeurs éclatées. Certes, les Indiens ne sont pas plus parfaits que les autres peuples, et le mélange de lumière et de ténèbres qui caractérise l'être humain décrit aussi bien l'Indien que le Blanc. Mais mon propos n'est pas de présenter un Indien parfait ou un Blanc imparfait. C'est plutôt de prendre conscience qu'en ne reconnaissant pas nos propres sous-entendus, nos croyances secrètes et inconscientes, nous finissons par ne pas pouvoir comprendre ceux qui nous entourent, parce que nous les faisons passer par le filtre de nos préjugés. Il est évident que chaque groupe – les Indiens comme les autres – devra faire le même travail – s'observer et se reconnaître – mais ce n'est pas à nous de leur faire la leçon ou de les éduquer. Nous pourrons aider ceux-ci à se reconnaître le jour où nous nous serons nous-mêmes reconnus et acceptés sans blâme.

Chapitre 7

Entre le rêve et l’éveil

Il s’agit de s’éveiller. Mais pour cela faudra-t-il connaître toutes les matrices, les idées séminales, les premières images qui entraînent nos vies dans une illusion, un sommeil, une hallucination? Non certes. Ces premières images ne sont pas, ne sont plus dans le passé, c’est pourquoi il est inutile de penser que l’on va s’éveiller en déterrant par l’analyse ces matrices du passé. C’est dans le présent que l’inconscience de la mémoire nous déforme et nous paralyse. Il s'agit donc d'observer ce qui est là, mais sans analyser ni juger.

Il s'agit en effet de s'éveiller. C'est le seul enjeu de nos vies. Or, pour inviter l'éveil, pour le susciter, si tant est qu'on peut y faire quelque chose pour l'engager, on commencera par reconnaître ses écrans, ses voiles, les façons de se leurrer, de se rendre la vie impossible en se détestant, en intensifiant la guerre civile qui gronde en soi. On met tout d'abord en doute son interprétation des choses, la vision autofabriquée de sa propre réalité. On se questionne de façon radicale sur ce que l'on est et sur la façon dont la pensée joue un si grand rôle dans cette connaissance ou cette méconnaissance de soi.

Certes, nous restons endormis et nous rêvons en croyant que nous sommes dans la réalité, ce qui est la preuve que nous sommes bien dans le rêve. Mais s'il n'est question que de cela – s'éveiller –, il y a «des façons de rêver qui sont plus ou moins heureuses, plus ou moins harmonieuses», comme le suggère l'éveillé Stephen Jourdain. En d'autres mots, comme le suggère de son côté Arnaud Desjardins, il faut commencer par être plus normal, le plus intégré possible, avant de pouvoir passer à la conscience qui transcende l'*ego*. C'est pour assurer cette première étape, pour ensuite la dépasser, que j'ai écrit ces paroles: pour faire prendre conscience que des pensées sont à l'origine de nos préjugés, de nos superstitions et de nos tocades, et qu'il faut savoir se mettre à la recherche de ce déclencheur.

Non pas changer ses pensées en empruntant des pensées artificiellement positives ou «bonnes», car cela n'enlève pas ce qui est déjà enregistré. Mais plutôt regarder tout ce qui monte en soi depuis les bas-fonds de la mémoire.

«Il est important de bien rêver, de rêver heureusement, dit justement Jourdain. Si les gens corrigeaient la manière dont ils se situent vis-à-vis de leur réalité, ils élimineraient quatre-vingt-dix-huit pour cent de leurs «problèmes». Ce ne serait pas l'éveil mais un rêve harmonieux. Ils seraient près du toit du rêve et en position de le crever.»

Et le rêve c'est quoi? C'est croire que nous sommes autre chose que la conscience pure et infinie, c'est croire que nous sommes plutôt ce que nous produisons, ce qui sort de nous, ce que notre pensée engendre et considère ensuite comme totalement réel, comme seul réel. Le rêve, c'est le moi qui n'est qu'une pensée et tout ce que celle-ci peut ensuite fabriquer et auquel nous croyons tellement. Nous oublions le vrai moi et nous nous identifions à ses effets: notre pensée, notre corps, nos émotions, les objets autour de nous. Nous nous identifions à ce faux moi. Nous nous obstinons à rester enfermés dans nos habitudes et nos préjugés héréditaires. Nous n'osons faire le pas. Or, si nous regardons avec attention les jugements préétablis que nous entretenons, nous cesserons de les voir comme partie de nous-mêmes, nous cesserons de nous identifier à eux. C'est ainsi qu'ils diminueront d'intensité et deviendront petit à petit inactifs, transparents, inexistants. C'est à ce moment que nous commencerons à désamorcer cette série d'habitudes qui tisse notre rêve en faisant de lui un simulacre de réalité.

En effet, nous dit Jourdain, «il demeure possible, en remontant à la source, de corriger le tir». Car, «ce sont des effets subjectifs que la conscience endormie constitue subrepticement en réalité autonome et séparée de toi. Voilà le propre de l'hallucination». En d'autres mots, «mon âme ne sent plus ses propres doigts agiter la marionnette et la traite comme une réalité étrangère», tout comme l'affirmait du reste David Bohm dans son livre.

Il s'agit pour chacun de «se désolidariser de ce qui n'est qu'un effet de sa propre réalité spirituelle, effet avec lequel, cependant, de la naissance au trépas, il se confond». (in *L'irrévérence de l'éveil*)

Il n'est donc pas question de chercher à être parfait, car c'est là une habitude de pensée ancrée dans nos mémoires et à laquelle on s'est totalement identifié. Il faudra se dissocier, se désolidariser de ce qui n'est qu'une mémoire entretenue et qui nous empêche d'être conscient, de **voir.**

Nous découvrirons qu'il s'agit simplement d'être nous-mêmes, de vivre ce que nous sommes jusqu'à la limite, et que cette intensité, cette sincérité, cette humilité d'engagement à se vivre totalement, à être complètement **accordés à cet instant qui jaillit, à cet instant que nous sommes**, est tout ce que la vie appelle et exige en nous. Elle demande qu'on la laisse couler, qu'on l'en n'empêche plus, et c'est cela qui constitue sa perfection, celle que l'on ne peut chercher parce qu'elle ne s'acquiert pas. Sa perfection, c'est sa spontanéité. La vie est reçue comme la grâce d'une eau qui au dégel se remet à couler. Elle n'est pas pensée mais intelligence, vive et insaisissable, car dit l'Éveilleur: «Je viendrai en pleine nuit comme un voleur, **au moment où vous ne pensez pas.**»

Placide Gaboury

Les chemins de l'amour

Editions de Mortagne

Pensées pour les jours ordinaires

de

Placide Gaboury

Choix de textes à méditer

Éditions de Mortagne

Placide Gaboury

messages pour le vrai monde

Éditions de Mortagne

Placide Gaboury
rentrer chez soi

Placide Gaboury

paroles
pour le coeur

Éditions de Mortagne

Placide Gaboury

une voie qui coule comme l'eau

Éditions de Mortagne

Placide Gaboury

Le karma de nos vies

la réincarnation